Si en mi ciudad vivieran dinosaurios

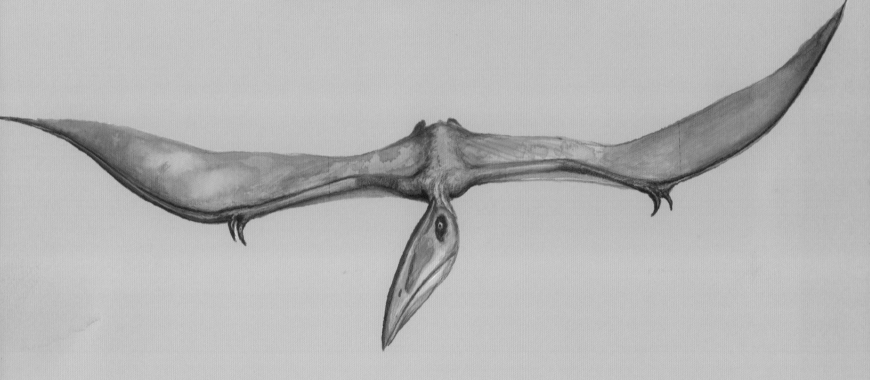

Si en mi ciudad vivieran dinosaurios

Texto:
Marianne Plumridge

Ilustraciones:
Bob Eggleton

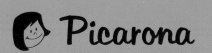 Picarona

Para mamá y papá,
Margaret y Eric Plumridge,
que siempre creyeron que yo podría…

Mari

Para papá,
que me inició en el mundo de los dinosaurios,
para mamá, que descubrió a Godzilla…
y para Ray Harryhousen, el hombre que hizo que viera andar a los dinosaurios.

Bob

Puede consultar nuestro catálogo en
www.edicionesobelisco.com / www.picarona.net

SI EN MI CIUDAD VIVIERAN DINOSAURIOS
Texto de *Marianne Plumridge*
Ilustraciones de *Bob Eggelton*

1.ª edición: junio de 2015

Título original: *If Dinosaurs Lived in My Town*

Traducción: *Joana Delgado*
Maquetación: *Marta Rovira Pons*
Corrección: *M.ª Ángeles Olivera*

Edita: Picarona, sello infantil de Ediciones Obelisco, S. L.
Pere IV, 78 (Edif. Pedro IV) 3.ª planta, 5.ª puerta
08005 Barcelona - España
Tel. 93 309 85 25 - Fax 93 309 85 23
E-mail: picarona@picarona.net

ISBN: 978-84-16117-31-4
Depósito Legal: B-2.047-2015

Printed in India

Y si...

Todos sabemos algunas cosas de los dinosaurios: cómo eran, cuándo vivieron y cuándo parece que murieron. Eran reptiles; unos eran grandes y pesados, mientras que otros eran pequeños y ágiles. Algunos de ellos parecían pájaros, y otros, lagartos. Hace millones y millones de años, mucho antes de que empezara la historia de los seres humanos, habitaban el planeta.

Después, algo sucedió, y todos los dinosaurios murieron. No sabemos cómo ni por qué; es algo que los científicos han intentado averiguar desde que se descubrieron los primeros de estos animales.

Todo lo que sabemos acerca de los dinosaurios se debe a años y años de estudios. Los huesos y fósiles encontrados en excavaciones realizadas en todas partes del mundo se han ido reuniendo y recomponiendo como un gigantesco rompecabezas. Hay veces en que se han hallado todas las piezas del puzle, pero otras, no. En esos casos, los científicos tienen que estudiar concienzudamente qué aspecto tenían, y para ello examinan cómo eran otros miembros de la familia de esos dinosaurios y los comparan.

Pero… ¿y si los dinosaurios no hubieran desaparecido hace millones de años? ¿Y si siguieran vivos? ¿Y si vivieran aquí mismo, en mi ciudad…?

Si un *Corythosaurus* viviera en mi ciudad...

... podría detener el tráfico para que los escolares atravesaran la calzada.

¡Huella de dinosaurio!

Corythosaurus (co-ri-to-sau-rus) era grande, de colores vivos y tenía una cresta. Podía caminar erguido sobre sus patas traseras. Con una altura del doble de la de un ser humano adulto, sería lo bastante grande como para detener el tráfico, y tendría unos colores lo bastante vistosos como para no tener que llevar los chalecos reflectantes que usan los agentes de tráfico para dejar pasar a los escolares. El hocico de *Corythosaurus* tenía forma de pico de pato y, en lugar de dientes normales, para masticar usaba cientos de pequeños dientecitos que tenía en el interior de las mejillas.

¡Huella de dinosaurio!

Rhamphorhynchus (ram-for-in-cus) significa «hocico con pico». Era un reptil volador. En el pico tenía numerosos dientes afilados, similares a los colmillos, que asomaban de su larga y estrecha mandíbula formando un ángulo. Cuando este cazador de peces volaba casi rozando la superficie del agua, podía atrapar fácilmente a muchos peces hábiles y escurridizos. Hoy en día, los científicos creen que es posible que *Rhamphorhynchus* tuviera una bolsa en el cuello, como los pelícanos, para contener a su presa.

¡... pescaríamos la mayoría de peces!

9

¡... podría tener su propia casa en el patio trasero!

¡Huella de dinosaurio!

Bambiraptor (bam-bi-rap-tor) pertenecía a un grupo de dinosaurios muy pequeños, rápidos y carnívoros llamados «dinopájaros». Aunque su aspecto era similar al de los pájaros, con su pelusa sedosa, sus patas llenas de plumas y sus garras afiladas, seguía conservando muchos de los rasgos del dinosaurio. Tenía un tamaño similar al de un pavo, y largos y afilados dientes, así como garras igualmente largas y afiladas en las patas traseras. Podía correr a gran velocidad y perseguir a presas más pequeñas que él. A pesar de que tenía plumas, los científicos no creen que *Bambiraptor* pudiera volar. Sin embargo, sí era muy hábil subiendo a los árboles.

¡Huella de dinosaurio!

Stegosaurus (es-te-go-sau-rus) significa «reptil con tejado». Se llamaba así porque cuando se descubrió el primer esqueleto de *Stegosaurus*, los científicos no sabían cómo estaban unidas las grandes placas óseas de la columna vertebral. Creían que era una especie de armadura plana para protegerse. Hasta mucho más tarde no descubrieron que las anchas placas con forma de hoja en realidad estaban erguidas formando dos filas sobre la espalda y la cola del dinosaurio.

¡... podríamos subirnos a sus placas óseas como si fuera un parque infantil!

14

¡... haría falta mucha limpieza allá por donde pasara!

¡Huella de dinosaurio!

Tyrannosaurus rex (ti-ra-no-sau-rus rex) significa «rey de los lagartos tiranos». Con una altura tres veces superior a la de un ser humano adulto, fue uno de los animales carnívoros más grandes que existió en la Tierra. Los científicos han descubierto numerosas deposiciones de dinosaurio fosilizadas, a las que han dado el nombre de «coprolitos», y las estudian para descubrir qué alimentos les gustaba comer a los distintos dinosaurios e incluso cómo los comían. Uno de los mayores coprolitos descubiertos pertenecía a un joven *Rex*. Este coprolito tenía aproximadamente el tamaño de un pan, un poco más alargado. ¡Sin lugar a dudas, esta gran deposición de dinosaurio atascaría el váter!

¡Huella de dinosaurio!

Parasaurolophus (pa-ra-sau-ro-lo-fus) era un dinosaurio muy llamativo, con un tamaño similar al de un autobús pequeño. En la cabeza tenía una cresta ósea vacía por dentro que medía casi dos metros de largo. Podía aspirar aire a través de este conducto y producir una variedad de sonidos similares a los de una trompa, o incluso a los sonidos graves de un trombón o un fagot. Tal vez *Parasaurolophus* tuviera la capacidad de producir estos sonidos para dar la alarma sobre algo, advertir de la presencia de enemigos o para atraer a un miembro del sexo opuesto.

¡... podría participar en una banda de música!

¡... podría nadar junto a las ballenas del acuario para ejercitarse!

¡Huella de dinosaurio!

Liopleurodon (li-o-pleu-ro-don) vivía en el océano y tenía cuatro enormes aletas. Es muy probable que moviera las aletas delanteras hacia arriba y hacia abajo, y que pataleara con las aletas traseras. *Liopleurodon* fue el animal carnívoro más grande que ha habitado jamás en el mundo, ¡incluso era más grande que la gran ballena azul! Se parecía un poco a nuestras ballenas actuales, pero tenía una cabeza gigantesca que representaba como mínimo una cuarta parte de la totalidad de su cuerpo. ¡Aproximadamente lo que mide la mayoría de dinosaurios!

¡Huella de dinosaurio!

Maiasaura (ma-ya-sau-ra) significa «atenta madre lagarto». Se cree que era un dinosaurio atento, familiar y afectuoso. Aunque era bastante grande —nueve metros de largo y el doble de alto que un ser humano adulto—, posiblemente sería muy delicado con los pequeños niños humanos. ¡El bebé de un *Maiasaura* no sería mucho más grande que tú!

... sería mucho más divertido tener un canguro.

Huella de dinosaurio

Giganotosaurus (Gi-ga-no-to-sau-rus) significa «reptil gigante del sur». Es el dinosaurio carnívoro más grande que se conoce. Su calavera medía 1,80 metros, que equivale a la altura de un humano adulto! Algunos dientes de *Giganotosaurus* medían unos 13 centímetros de largo y eran tan afilados como los de un tiburón. Los científicos creen que utilizaban los dientes para rajar a sus presas de arriba abajo, en vez de cargar contra ellos y morderlos directamente.

¡... necesitaría un cepillo de dientes gigante!

¡Huella de
dinosaurio!

Tarbosaurus
(tar-bo-sau-rus) está
emparentado con
Tyrannosaurus rex,
incluso se parece
mucho a él. Estos dos
dinosaurios no tenían el
hábito de comer a horas
regulares como nosotros,
sino que se atiborraban
en una comida y luego
no ingerían nada
durante varios días.
Cada semana, cada uno
de ellos podía comer
el equivalente a su
propio peso en carne:
¡aproximadamente
60.000 hamburguesas!

¡... él y su primo, *Tyrannosaurus rex*, podrían competir en un concurso de comer hamburguesas!

Si un *Styracosaurus* viviera en mi ciudad...

¡Huella de dinosaurio!

Styracosaurus (es-ti-ra-co-sau-rus) significa «lagarto con espinas». Alrededor del cuello tenía una inmensa gola cervical de la que salían seis largas espinas, y también numerosas espinas más pequeñas. Además, tenía un cuerno muy largo en la nariz, por lo menos de medio metro de longitud. Es muy probable que lo utilizara para protegerse de otros dinosaurios. Muchas personas creen que tanto la gola cervical como el rostro de *Styracosaurus* tenían colores muy vivos.

... tendría un enorme pastel de cumpleaños sólo para poder poner todas las velas. ¡Y ya lleva el típico gorrito de fiestas!

¡... podríamos jugar a lanzar y atrapar la pelota, pero debería ir con cuidado para no romperla con sus garras!

¡Huella de dinosaurio!

Velociraptor (ve-lo-ci-rap-tor) significa «cazador veloz». Probablemente sea el dinosaurio más conocido de la familia raptor, así como uno de los dinosaurios más feroces de todos. Tenía tres garras muy afiladas en las patas traseras y en sus gigantescas patas delanteras. En el segundo dedo de las patas, tenía una imponente garra afilada con forma de media luna. El *Velociraptor* también tenía ochenta dientes muy afilados e irregulares. ¡Era muy peligroso!

¡... podríamos volar en ala delta!

¡Huella de dinosaurio!

Pteranodon significa «ala desdentada». Era un excelente planeador y tenía una envergadura muy grande. Sin embargo, debido a que sus huesos eran huecos, sólo pesaba unos veinte kilos. En lugar de tener cola, tenía una pequeña y puntiaguda protuberancia, ¡aunque su cabeza era casi tan larga como su cuerpo! Tenía un largo pico acabado en punta y, sobre la cabeza, una cresta igualmente larga y puntiaguda.

¡Huella de dinosaurio!

Ornithomimus (or-ni-to-mi-mus) significa «imitador de aves». Era un dinosaurio alto y flaco, con un tamaño y aspecto muy similares al de los avestruces de hoy en día pero sin plumas. Tenía unas patas traseras fuertes y alargadas, unas patas delanteras finas y alargadas y un pico, y no tenía dientes. ¡Podía correr a gran velocidad!

... ganaría todas las carreras.

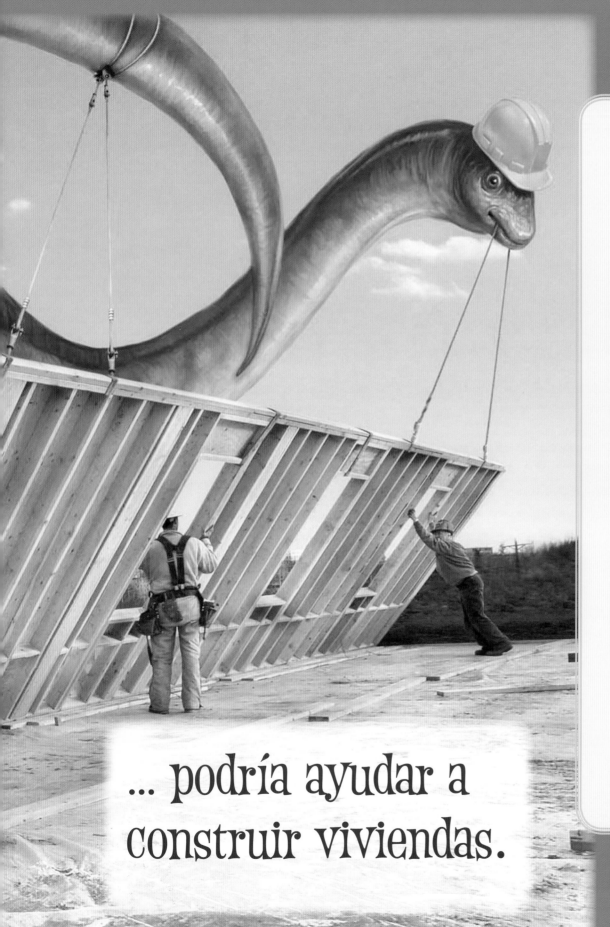

... podría ayudar a construir viviendas.

¡Huella de dinosaurio!

Supersaurus significa «súper lagarto». Fue uno de los dinosaurios más grandes, con un cuello y una cola increíblemente largos. Para soportar su enorme tamaño y peso, tenía cuatro grandes patas similares a las de un elefante, que lo ayudaban a permanecer en equilibrio mientras buscaba alimento en lo alto de los árboles. Medía unos treinta metros de altura, que es como siete automóviles en vertical puestos uno encima del otro.

¡Huella de dinosaurio!

Talarurus (ta-la-ru-rus) significa «cola en cesta». Era un pequeño dinosaurio cubierto de una gran armadura. Tenía muchas placas óseas en la espalda y también numerosas protuberancias puntiagudas. Su piel era muy espinosa. Su rasgo más característico, sin embargo, era su cola. Era larga, delgada y muy dura, y tenía una gran protuberancia ósea en el extremo. ¡Podía golpear a otros dinosaurios con ella!

¡... podría golpear la pelota de béisbol y hacer que nuestro equipo anotara una carrera!

¡... pondría los huevos más grandes del corral!

¡Huella de dinosaurio!

Therizinosaurus (te-ri-ci-no-sau-rus) era un enorme reptil parecido al pájaro, con una altura que alcanzaría casi el segundo piso de un edificio. Tenía una cola alargada, pelaje de plumas finas y enormes garras alargadas en las patas delanteras, aproximadamente tan largas como un monopatín. Los huevos que ponía eran grandes como un pan redondo. En 1994 se descubrió un extraño fósil de un huevo al que se le dio el nombre de «Bebé Louie». Este huevo contiene un diminuto esqueleto que, según creen los científicos, podría haber pertenecido a una cría de *Therizinosaurus*. Hoy en día el «Bebé Louie» sigue siendo objeto de estudio.

¡... podría ser un cocinero especialista en espaguetis!

¡Huella de dinosaurio!

Deinonychus (dei-no-ni-cus) significa «garra terrible». Era un dinosaurio delgado y parecido a un pájaro que, cuando estaba erguido, era tan alto como los actuales jugadores de baloncesto. Sus patas delanteras eran grandes con tres garras afiladas en cada una de ellas, y era un dinosaurio astuto. *Deinonychus* habría sido muy veloz y hábil a la hora de girar y separar cosas enredadas, ¡como los espaguetis!

41

Si un *Brachiosaurus* viviera en mi ciudad...

París
en
primavera

Explor

TARJETA POSTAL

26

... a la vuelta de vacaciones traería
unas fotos archimegagrandes.

sol italiano

ta el Monte Rashmore

Huella de dinosaurio

Brachiosaurus significa «lagarto y brazos». Es uno de los dinosaurios más altos que existieron. Aunque mucho más grande y con una cola muy larga, parece una jirafa, con unos hombros grandes, una espalda baja, un cuello muy largo y una cabeza pequeña. Sin embargo, en comparación con la torre Eiffel de París sería muy pequeño. La torre inclinada de Pisa sería tres veces más alta que este dinosaurio, mientras que una góndola sería tan larga como su cabeza y su cuello juntos.

¡Huella de dinosaurio!

Pachycephalosaurus (pa-qui-ce-fa-lo-sau-rus) significa «lagarto de gran cabeza». Era el más grande de los dinosaurios que tenían la «cabeza dura». No, no era tozudo. Significa que tenía un cráneo muy sólido, con una cúpula de un grosor de veinticinco centímetros. ¡Es casi igual de alto que un tetrabrik de leche! Caminaba erguido sobre sus gruesas patas traseras y también era muy veloz.

¡... podría ir en bicicleta con nosotros y no necesitaría llevar casco!

45

Si un *Torosaurus* viviera en mi ciudad...

¡... podríamos sentarnos encima de él y tener la mejor panorámica de los fuegos artificiales!

¡Huella de dinosaurio!

Torosaurus (to-ro-sau-rus) significa «lagarto perforado». Tenía la cabeza más grande de todos los animales terrestres. ¡Su longitud era de más de 2,50 metros! Eso se debía al enorme escudo que tenía en el cuello. Era un dinosaurio fuerte, aproximadamente del tamaño de un autobús, y caminaba sobre cuatro patas gruesas y robustas. En la cara tenía tres cuernos para protegerse: dos cuernos grandes y largos encima de los ojos, y otro pequeño sobre la nariz, que tenía forma de pico.

¡Huella de dinosaurio!

Peteinosaurus (pe-tei-no-sau-rus) significa «lagarto alado». Era un diminuto dinosaurio volador. Con un tamaño parecido al de una paloma bien alimentada y una envergadura similar, tenía una cola larga y delgada con una aleta con forma de hoja en el extremo. La aleta le ayudaba a planear durante el vuelo. La cabeza de *Peteinosaurus* estaba constituida principalmente por un pico y unos grandes ojos.

¡... en vez de tener comederos para pájaros, tendríamos diminutos comederos para dinosaurios!

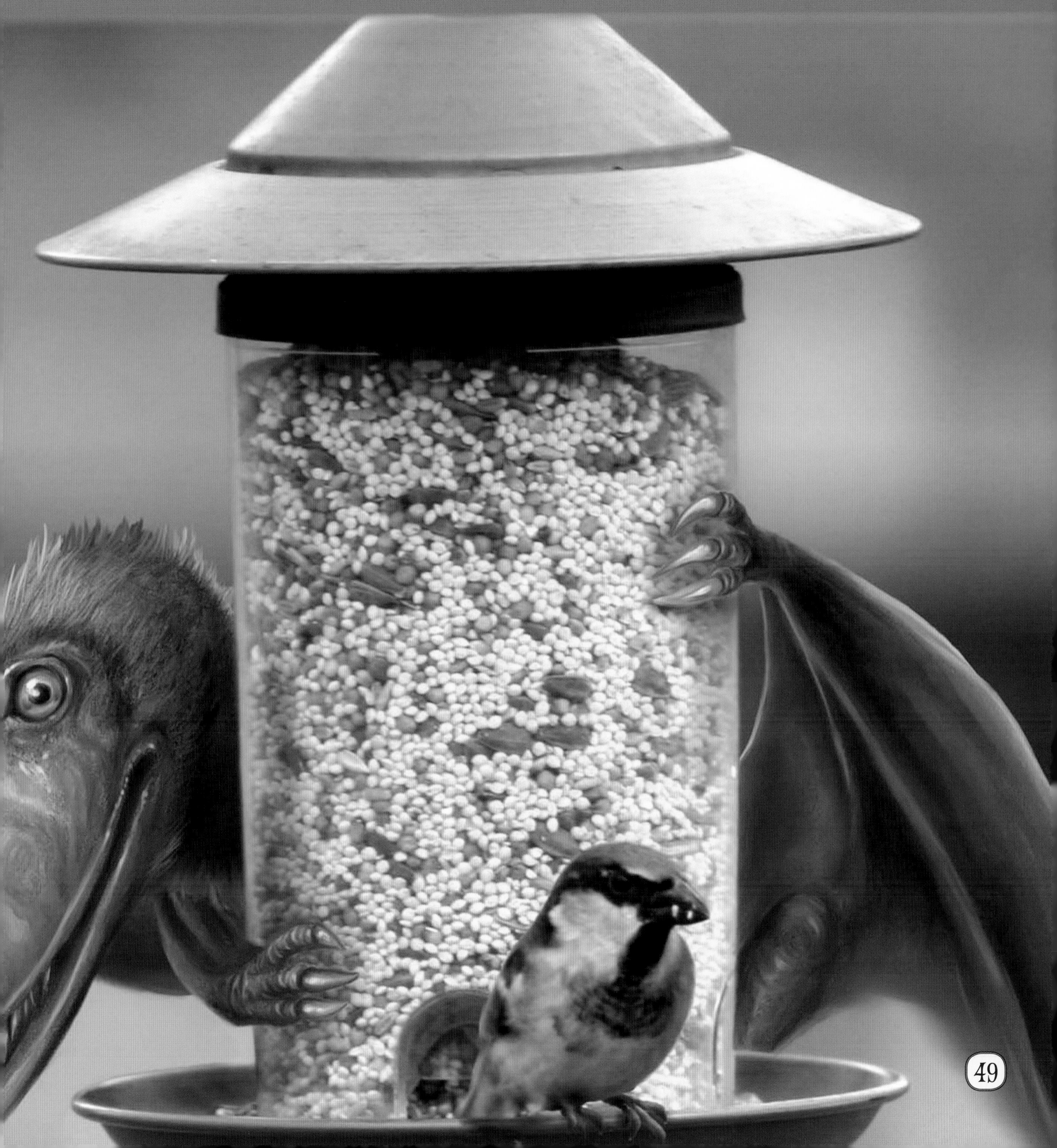

¡Huella de dinosaurio!

Coelophysis (co-e-lo-fi-sis) significa «rostro hueco». Era un dinosaurio delgado y de movimientos rápidos que, cuando se erguía sobre las patas traseras, era tan alto como un humano adulto. En 1998, el trasbordador espacial *Endeavour* se llevó al espacio el cráneo de un *Coelophysis* fosilizado. Durante un breve período de tiempo permaneció en la estación espacial Mir, antes de regresar otra vez a la Tierra.

... podría viajar
al espacio.
Oh, espera:
¡uno ya lo
ha hecho!

¡... rompería una piñata de un coletazo!

¡Huella de dinosaurio!

Euoplocephalus
(E-uo-plo-ce-fa-lus)
significa «cabeza
acorazada». Era como un
pequeño camión blindado,
con numerosas placas óseas
y cuernos cónicos en la
espalda. También tenía una
larga cola con una gruesa
protuberancia ósea en el
extremo. Podía mover la cola
como si fuera un palo de golf
con objeto de defenderse
o golpear árboles para que
las ramas estuvieran lo
bastante bajas y así poder
mordisquearlas.

¡Huella de dinosaurio!

Cryolophosaurus (cri-o-lo-fo-sau-rus) significa «lagarto de la cresta congelada». Se llamaba así porque sus huesos fueron hallados en el Polo Sur. Era un dinosaurio de tamaño medio, de unos ocho metros de longitud. Su cabeza era de grandes dimensiones, la mitad de la cual la ocupaba una boca alargada llena de dientes muy afilados. Sobre la cabeza tenía una cresta vistosa y poco corriente que le daba un aspecto muy alegre.

... podría ser una
estrella de circo.

¡Huella de dinosaurio!

El *Leaellynasaura* (lee-el-in-ah-sau-rah) se llama así por la hija de su descubridor, y significa «reptil de Leaellyn». *Leaellynasaura* fue un pequeño y delgado dinosaurio que habitó en el antiguo entorno cubierto de hielo y nieve del Polo Sur. Tenía unos ojos enormes que le permitían ver durante los largos y oscuros meses de invierno, así como un cerebro de grandes dimensiones.

... podríamos leer juntos
en la oscuridad.

Si los dinosaurios vivieran en mi ciudad...

... ¡necesitaríamos un ciudad MUCHO MÁS GRANDE!

Libros de consulta

Dinosaurios y vida prehistórica
Hazel Richardson
Ediciones Omega S. L.,
Barcelona, 2003

Guía de los Dinosaurios
David Lambert
Ediciones B. Grupo Zeta,
Barcelona, 2000

*Todo lo que necesitas saber
sobre los dinosaurios*
Dougal Dixon
Ediciones SM, 2013

National Geographic Dinosaurs
Paul Barret y Raul Martin
National Geographic Society,
Washington DC, 1999-2000

*Enciclopedia ilustrada
de los dinosaurios,*
Dougal Dixon
Ediciones El Prado,
Madrid, 1990

Acerca de la autora

Marianne Plumridge es una artista, escritora y crítica literaria especializada en los géneros de ciencia ficción, fantasía y misterio. Sus obras abarcan portadas de revistas, postales de felicitación, rompecabezas y algunos libros, mientras que sus críticas literarias son respetadas y reconocidas tanto en Internet como en la prensa escrita.

Marianne Plumridge comparte su vida con Bob Eggleton, su marido, y varios cientos de monstruos «Kaiju», dinosauros, dragones y otras bestias en forma de estatuillas y juguetes, y también con muchísimos libros y películas. La inspiración no la abandona nunca.

Acerca del ilustrador

Bob Eggleton es un artista ilustrador de géneros de terror, ciencia-ficción y fantasía. Tiene publicados un gran número de libros de arte y trabajos de ilustración, uno de los cuales ganó el Hugo Award 2001, pero también ha obtenido nueve Premios Hugo más, doce Chesley, los premios Skylark, Locus, Analog y Asimov Magazine, y otros muchos a lo largo de su prolífica carrera.

Eggleton posee grandes conocimientos sobre dinosaurios y otros animales prehistóricos, lo que le ha llevado a interesarse en profundidad por los grandes monstruos y películas de género fantástico. No sólo pinta e ilustra estos temas que destacan como sus favoritos, sino que además pronuncia conferencias y escribe ensayos y artículos sobre ellas que después son publicados. Ha escrito e ilustrado un cómic sobre Godzilla, para Dark Horse Comic, así como numerosos cómics de monstruos y portadas de revistas de género fantástico. En la industria del cine ha colaborado como artista en *Star Treck*, en *Jimmy Neutron Boy Genius*, de Nickelodeon (2001), y en *The Ant Bully*, de Warner Bross (2006).

Trabajó como extra en la película *Godzilla* y siempre que visita Japón es recibido como huesped de honor en los estudios Toho.

Índice